CLITOMOTRICE

Alice la saucisse, roman, Verticales, Le Seuil, 2003.
Caroline assassine, roman, Lattès, 2004.

www.editions-jclattes.fr

Sophie Jabès

CLITOMOTRICE

Roman

JC Lattès
17, rue Jacob 75006 Paris

1

Clémentine avait les yeux ronds. Une bouche en cœur et un très beau clitoris. En pointe et très long.

— Vous ne devez vous faire aucun souci… murmura le médecin en souriant. C'est incontestablement…

Il ôta ses lunettes qu'il posa sur la table. Réfléchit un instant.

— C'est incontestablement…

Il rosit légèrement.

— … le plus beau clitoris que j'aie jamais vu.

Sa pomme d'Adam se mut imperceptiblement.

— Anatomiquement parlant, bien entendu.
— Bien entendu.

Il toussota.

— Ne sous-estimez pas votre chance. Savez-vous combien de femmes aimeraient être à votre place ? Je n'ai qu'un conseil à vous donner. Madame ?
— Mademoiselle.
— Mademoiselle. N'y pensez plus et profitez.

Ses mains tremblaient légèrement. Il remit ses lunettes avec un brin de précipitation et signa la feuille de soin avec application.

Clémentine ouvrit son sac pour payer. Hésita.

— Vous êtes sûr, docteur? Absolument sûr, qu'il n'y a rien à faire?

Il ne la regarda pas.

— Rien du tout. Rentrez chez vous. Prenez un bon bain. Détendez-vous. Vous pouvez essayer des infusions de camomille si vous le souhaitez, mais je ne garantis rien.

Clémentine baissa les yeux en rougissant. Elle ramassa son écharpe et remit son manteau. En enfilant la manche gauche, elle osa protester.

— Je ne prends jamais de bain.

Le médecin tapota la table, le majeur et l'index agacés.

— Alors prenez une douche, prenez ce que vous voulez. Mais ne vous inquiétez pas pour *ça*. Ça n'en vaut pas la peine.
— Je croyais que…

Clitomotrice

Les mots de Clémentine se perdirent dans la poignée de main échangée sur le palier. Elle vit qu'il avait les yeux d'un beau bleu glacé. Il lui brisa les doigts.

Elle se demanda si sa femme partageait son avis sur le peu d'importance à accorder à *la chose* mais elle n'ajouta rien.

Il claqua la porte.

Elle se retrouva seule dans la cage d'escalier, son sac dans une main, le foulard dans lequel elle enroulait son « rien du tout » dans l'autre.

De la camomille ? Elle n'y aurait jamais pensé…

2

Clémentine était née ainsi. Un bout de chair entre les cuisses qui dépassait drôlement. Les infirmières n'y avaient guère prêté attention. Les parents ne s'étaient pas inquiétés. On leur avait proposé la rééducation pour les pieds, des biberons au lait sucré pour endormir le bébé, des tétines plastifiées au goût de framboise acidulé pour le calmer, mais pour l'excroissance de 20 cm de long, la sage-femme ne recommanda rien. La bander, peut-être? avait demandé timidement la mère de Clémentine. C'était son premier enfant. Elle n'avait pas de clitoris de comparaison. Le kiné avait haussé les épaules. Tout s'arrangerait en grandissant. Il ne fallait pas se laisser impressionner par de telles proportions. On aurait pu tenter quelques mouvements d'assouplissement. Mais sans prescription médicale, les séances ne seraient pas remboursées. Et puis masser à cet endroit, rien de plus délicat. Vous comprenez, je ne veux pas d'histoires… Un procès est bien vite arrivé.

La mère s'était habituée. Occupée à changer les couches, stériliser les biberons, peser, emmailloter, laver, talquer le bébé, elle ne vit pas la chose grandir et se développer. Sa fille resterait toujours sa poupée. Pure. Intouchable. Clitoris ou pas clitoris.

Le père hésitait à la langer. Tout de suite, il avait été intrigué par ces cellules qui fendaient l'air fièrement. Il tentait de se raisonner mais il pouvait difficilement demeurer insensible à cet étrange flocon de rose. Contempler là à découvert, offert sans honte, sans pudeur, cette invitation au plaisir, au toucher, tout de même, il y avait de quoi le troubler. Il ne savait pas comment aborder le problème. L'ignorer ?

Il avait bien essayé. Avait refusé de la baigner. Passait, l'âme en peine, des journées entières sans s'approcher de sa fille, de peur du faux mouvement et de l'effleurement.

Mais la mère se plaignait. Le mari devait l'aider. Ne pas la laisser seule affronter toutes les corvées. Elle s'occupait d'une teinturerie rue Jean-Pierre Timbaud et d'un café rue Turbigo. Jonglait entre Clémentine, les cols Claudine, les tailleurs pied-de-poule et les for-mules du jour – avec ou sans entrées – bavette aux échalotes, onglet garni, œuf mimosa et crème caramel. Elle allaitait, le matin, jambes écartées, ses mocassins jetés dans un coin, assise au milieu des couettes et des serviettes-éponges ; à midi, debout, la mèche sur le sourcil, derrière le bar, le bébé au creux d'un bras, les assiettes huileuses au creux de l'autre. Venu le soir, elle repassait les ourlets et les poignets amidonnés, en sueur, laissant Clémentine jouer à terre, son extrémité perdue au milieu des cardigans, des volants ajourés, des pardessus, des chemisiers à jabot et des jupes plissées.

Elle revenait harassée, la petite calée sur la hanche, des restes de linge à repriser sur le dos. La tête pleine d'ammoniaque et d'eau javellisée, elle jetait sa blouse de coton perlé sur le canapé et réclamait de l'aide. Un père, après tout, il fallait bien qu'il serve à quelque chose.

Il ne put reculer. Obligé de regarder en face ce qu'il touchait chez les autres du bout des doigts, il l'examina à loisir quand il découvrait sa fille sur la table à langer.

Il ne se priva pas.

Pour transcender son émoi, à la vue de ce que d'habitude il avait peine à chercher dans la pénombre, il inventait des noms en nombre. Fleur de courgette farcie, abricot des îles, plume de paon à l'huile, coulis de lys à l'ambre doux.

Il y pensait toute la journée. Dans sa droguerie place Daumesnil, métro Daumesnil-Félix Éboué, entre les cintres et les déodorants parfumés, il rêvait à sa fille et à sa surprenante intimité. Il devenait poète, composait des quatrains et des sonnets. Oubliait les odeurs de naphtaline et d'encaustique, se perdant dans des évocations poétiques détaillées de ce qu'il craignait de frôler. Ses lunettes s'en trouvaient embuées d'émotion. Son crâne clairsemé luisait. Entre deux habitués du quartier, il comparait ses nouvelles combinaisons sémantiques, caille farcie, flûte des tropiques, truc en plumes tressé, dernière folie du sud de l'Australie, chinchilla de Californie, douceur aquatique.

Il opinait de la tête et souriait.

Quand il rentrait, le soir, les bras chargés de bougies, de piles et de serviettes en papier, il se précipitait vers ce qu'il avait le jour baptisé canari des cocotiers, truffe au citron glacé, canard au gingembre laqué. Il lui chantait ses comptines et le saupoudrait de talc parfumé.

La petite riait à gorge déployée. Ces câlineries chromatiques lui profitèrent plus que de raison.

Ce clitoris était destiné à faire sensation.

3

Clémentine poussa ainsi. Sans histoire. Elle buvait bien. Elle mangeait bien. Elle faisait son rot à point. Elle n'avait aucun problème de digestion. Jamais un pleur. Jamais un cri. Elle gazouillait toute la journée.

Elle traînait derrière elle, telle une traîne de mariée, sa flûte enchantée. Elle allait, en reine, son pouce à la bouche, un bout de couverture damassée noué autour du poignet, à même le parquet, l'abricot s'étirant à travers les couches avec une agile majesté.

17

Un hiver, Clémentine souffrit d'une bronchiolite aiguë. Quand la quinte de toux venait, la caille tressautait. Le père pour calmer l'enfant avait acheté un manège musical qu'il avait suspendu au sommet de son lit. Elfes d'écaille et lutins dorés. La petite passait des heures à enrouler sa mangue de velours, entre deux hoquets, autour de la tige qui soutenait le jouet.

Le mobile tintait.

Clémentine applaudissait, le truc en plumes se déployait le long de la tige en ondes tendres et lisses. Le père remontait la clé musicale et, loin de la cire encaustique et du déodorant citronné, outre poète il se découvrait musicien.

Clémentine sortait rarement. La promener en poussette, la fleur d'abricotier même enroulée autour de la taille et dissimulée sous les langes, relevait du défi. À chaque coin de rue, les passants arrêtaient les parents et l'enfant. Vous devriez surveiller son embonpoint, conseillaient-ils. La mère haussait les épaules et poursuivait son chemin, le père acquiesçait et se mettait à siffloter ses refrains. Tous deux renoncèrent très vite au square, au Bois de Vincennes et aux joies du plein air, confinant la petite et ses atours, dans leurs trois pièces boulevard Voltaire.

Clémentine marcha à onze mois, parla à dix-huit et fut propre vers trois ans. Juste avant l'entrée en maternelle. Elle ne fit jamais pipi au lit.

Le clitoris avait grandi lui aussi. 74 cm en petite section, 98 en cours élémentaire première année. Le pédiatre tenait à rester précis. À chaque vaccin, il procédait à un inventaire complet. Il inscrivait tout sur le carnet de santé. La couleur. Les changements de consistance. La longueur. Le poids aussi.

Il caressait la joue de Clémentine, et lui susurrait un c'est bien mon petit, hochait la tête et félicitait les parents. Ils n'en demandaient pas tant.

Clémentine vivait sans s'étonner de l'organe entre ses jambes. Flattée par les inventions et les chansons de son père qui poussa la fantaisie jusqu'à la nommer perle de cotillon, flûte de canari sauvage, larme de caille dorée, les sens assoupis par l'indifférence de sa mère, elle ne s'aperçut pas de la singularité de ce que par la suite elle vécut comme une infirmité. Pour Clémentine, un clitoris de presque un mètre de long n'avait rien d'anormal ; elle était née comme ça. Dieu devait en connaître la raison.

4

En début de huitième, la situation semblait stabilisée mais à la visite médicale de l'école, avant l'entrée en sixième, il fallut se rendre à l'évidence, le canari s'était encore beaucoup développé. On avait aligné les filles d'un côté, les garçons de l'autre. Clémentine, sans se méfier, s'était déshabillée. Elle avait dû vite déchanter. Une rouquine à taches de rousseur sur les joues s'approcha d'elle en ricanant.

— C'est quoi ce tas? Tu ne t'es pas trompée de file par hasard?

Clitomotrice

Clémentine rougit. Aurait dû pleurer. Se mordit la lèvre et ravala sa peine. Refusa de parler au médecin et, en enfilant sa jupe et ses collants, trouva juste le temps de constater à son grand égarement que là où les autres filles semblaient toutes plates, elle avait plus, bien plus qu'une omoplate.

Depuis ce jour, Clémentine se sentit différente. Intrinsèquement différente. Elle restait seule face à cette *chose* que personne ne lui avait vraiment nommée. Sa mère refusait de répondre à ses questions et s'en remettait au temps et à Dieu pour trouver des solutions. Son père, à force de fleurs de bananiers et de cailles farcies, avait fini par croire à ses insanités, et de sa bouche Clémentine ne pouvait tirer aucune réalité.

Clémentine ne comprenait pas. Elle n'avait jamais regardé cette partie du corps comme une partie en soi, c'était un bout d'elle-même – un grand bout, certes – mais un bout. Voilà tout.

Comme ses yeux, ses cheveux, ses doigts ou ses pieds.

Elle commençait à douter. De sa grâce, de sa féminité. Peut-être, après tout, n'était-elle pas une fille comme les autres? Il y avait là une bizarrerie qu'elle n'osait s'expliquer. Elle, que ses parents avaient tant chérie, lui cacherait-on la vérité?

5

La mère de Clémentine qui voyait sa fille se tourmenter et le lys croître et prospérer, finit par rester des journées entières à se lamenter. Elle délaissa café et teinturerie, se fit remplacer par une blonde oxygénée, et renonça pour un temps aux senteurs mêlées de la vapeur, du lin, de la soie, du coton et du steak haché.

Assise sur le balcon, près de la place de la Nation, face aux grues qui trônaient au milieu d'immeubles en démolition, elle contemplait, hébétée, le ciel et priait. Réclamant pour son enfant une prétendue normalité. Le visage morne, la ride triste, elle soupirait. Elle avalait distraitement des bouchées au chocolat noir, ne comptait plus ses bourrelets, les bras ballants, les seins en toboggan, pestant sur le triste sort qui lui avait été réservé.

Une fille avec une telle difformité! Qui allait consentir à l'épouser? Qui même la regarderait?

Elle allumait des cierges sur les autels de Saint-Sulpice, de Saint-Thomas d'Aquin et de la Trinité. Partit pour Lourdes et le Mont-Saint-Michel. Se signa beaucoup, pleura tout autant, promit offrandes et sacrifices, espérant retrouver à son retour son enfant sans apparente extrémité.

En vain.

La mère de Clémentine rêvait en secret d'un garçon, d'un fils qu'elle aurait chéri, sans histoire, sans inutile complication. Elle en parlait parfois, à demi-mot. Maudissait le ciel en frustrée non exaucée, pour cette injuste punition. Torturait sa fille qui d'insouciante s'en voulut de se vivre différente.

Se moquait.

Sans se l'avouer, elle redoutait la rivalité, se sentant vieillir soudain quand elle voyait sa fille grandir avec sa caille farcie plus florissante que jamais. Elle la jalousait en secret et épiait du bout des yeux son mari, à l'affût du geste qui l'aurait trahi. Elle devint soupçonneuse, irritable, détestable. Elle accusait Clémentine pour un rien, un verre cassé, une mauvaise note sur son carnet, un livre oublié. Elle lui prédisait le pire, la solitude, le ridicule et l'adversité. Lui tirait les cartes et la voyait finir ses jours dans un couvent d'Ursulines, traînant son lys parfumé, le soir aux complies, dissimulé dans les plis de sa bure de coton tissé.

Elle aimait sa fille, pourtant. La berçait le soir, bien qu'elle eût quinze ans passés, avant de lui lire des histoires. *La Petite Sirène* était sa préférée. Elle l'assurait de son intelligence et de sa beauté. Mais ce clitoris en pointe, elle ne pouvait s'empêcher de le ressentir comme une menace. Un obstacle à sa propre féminité.

La mère abandonna les grues, les saints, les cierges et les sacristies et se remit à se maquiller. Fond de teint et mascara poudré. Elle osa les jupes courtes, les talons aiguilles et les bas brodés. Misa sur son décolleté et abusa des soutiens-gorge à balconnet.

Le père ne vit rien. Ne dit rien. Ne demanda rien. Le crâne de moins en moins garni, la nuque de plus en plus raidie, la veste embaumant de plus en plus la naphtaline, il s'enfermait dans le silence.

Elle espérait un mot, un regard de l'homme qui de jour en jour s'éloignait. Il préférait sa fille et ses atours inespérés.

Il avait renoncé aux alexandrins, mais composait désormais des nouvelles qu'il lui lisait au petit déjeuner. Entre croissants et tartines beurrées, il l'emmenait au pays des flûtes, des cailles, des canaris, des canards farcis, voguant d'île en île, dévalant monts et collines, explorant les fonds aquatiques, dans une farandole qu'il rêvait volcanique. Il expiait ainsi la banalité de sa vie.

Clitomotrice

La mère, le cœur en berne, les regardait avec acidité. Le mascara glissant sur ses paupières flétries, la cuisse et le sein délaissés, elle retrouva ses chaussures plates et son tablier.

Clémentine vacillait sous le poids de tant d'ambiguïté. Assaillie par le doute, innocente mais accablée par tant de perverse sollicitude, elle scrutait *sa chose* avec perplexité.

Que fallait-il penser ?

6

Clémentine décida de porter des jupes
très amples qui lui arrivaient aux mollets.
Elle n'avait rien trouvé d'autre pour cacher ce
qu'elle commençait à appeler son infirmité. Sa
mère, entre deux moqueries, avait beau lui
assurer qu'elle avait été et qu'elle restait le plus
beau bébé du monde, Clémentine perdait peu
à peu confiance et aisance. À l'heure où les
autres exhibaient fièrement leur nombril, parfois percé, au-dessus de leurs jeans délavés, elle
longeait les murs de la ville, le dos courbé, son
clitoris enroulé et pressé sous sa robe. À cause

de son secret, elle refusait toutes les invitations. À dîner. À danser. À pique-niquer. Elle se croyait ridicule avec son abricot des îles entre les jambes et voulait éviter de se montrer.

Elle se sentait prisonnière de ce bout de chair qui en dépit de ses ruses s'étirait en longueur. Sans complexe. Sans malice.

Elle passa son bac avec succès. Choisit sa faculté. Biologie, sans hésiter. Pour tenter de percer les secrets de son étrange anatomie.

Elle n'en finissait pas de disséquer, dialyser, agglomérer, aseptiser, transvaser, distiller mais aucune biopsie, aucun précipité, ne lui livrait de clé. Son mystère restait entier.

Pattes de souris, cœurs de lapins, ventres de grenouilles, conférences magistrales ou travaux dirigés, rien ne put ni la distraire ni la rassurer.

Clémentine ne parlait à personne. Revenait rapidement des cours pour regarder la télé. Devant l'écran, elle pouvait s'accepter différente, se rêver insouciante.

Clitomotrice

Oubliait que même à la piscine elle refusait d'aller.

Son clitoris l'accompagnait partout. Forcément. Il était si long, qu'elle prit l'habitude de l'envelopper de voiles de soie colorée qu'elle tressait autour de sa taille. On la traitait d'originale, mais excepté le corps médical, personne ne savait la vérité.

Clémentine sans amis, sans soupirant, la mère et le père vieillissant, prodigues en lait fraise les soirs d'angoisse et de malaise, qui n'avait nulle âme à laquelle se livrer, prit l'habitude de parler à sa longueur enrubannée. De la pluie. Du beau temps. Des yeux du brun effleuré sur un quai de métro à Reuilly-Diderot, de la robe de la concierge un peu trop échancrée dans le dos, des mains effilées du marchand de journaux, des lunettes en écaille de son professeur de physique à l'université.

Elle lui récitait ses cours de biologie et de biochimie. Le canari se trouva fort savant en endoplasme, protozoaire, ergastoplasme, gamète, cytoplasme, osmose, filtration et ablation.

Il devint son confident. Elle lui disait ses peines. Ses envies. Ses ambitions. Elle partageait tout avec lui. Ses médisances. Ses espoirs. Ses rêves d'enfant gâtée.

Le soir, elle le déroulait avec précaution. Soupirait de le voir en aussi bonne santé. Le contemplait dans la glace. Quelle vie l'attendait avec une telle masse ?

Une autre aurait pu tirer du plaisir, et non le moindre d'une telle énormité, Clémentine n'y avait jamais songé. On ne lui avait rien appris. Hormis le lait fraise, les macarons au chocolat et les chips devant *Questions pour un champion*, elle ne connaissait rien de la vie. Ou alors pas grand-chose. Elle se savait tout autre, elle se voulait heureuse, il lui manquait le mode d'emploi. Le hasard allait le lui donner.

7

Un soir, sa mère vint la secouer vers quatre heures du matin. Elle avait les yeux tirés et les cheveux défaits. Des cernes rougis comme si elle avait beaucoup pleuré. Sans pouvoir s'arrêter.

— Clémentine, ton père et moi, nous avons réfléchi.
— Nous en parlerons demain.

Clémentine se détourna sur l'oreiller. Son abricot à côté.

— Non, maintenant. Ça ne peut plus durer. Il faut t'opérer.

La mère parlait vite. Les mots se bousculaient. Incongrus dans le noir de la nuit.

— Mais maman, je dors.
— Eh! bien, réveille-toi.

Elle haussa la voix.

— Je n'en peux plus. Je n'en peux plus de te voir comme ça. Tu ne sors plus. Tu restes seule toute la journée. Bientôt, tu refuseras même de passer tes examens.

Clémentine ouvrit ses yeux avec peine.

— Je t'en prie laisse-moi dormir.
— Non, c'est maintenant ou jamais. Les choses ont trop traîné. Nous avons été négligents. Nous avons décidé, avec ton père. Il faut couper.
— Couper?

Clitomotrice

Clémentine dormait à moitié. Elle serra son lys parfumé entre ses mains.

— Couper quoi ?
— Ton truc. Il faut le couper. Tu ne trouveras jamais un mari si tu continues comme ça.

Elle leva les yeux au ciel et s'assit sur le lit près de sa fille. Repoussa la fleur de courgette d'un revers de la main. Lui caressa les cheveux.

— Tu es d'accord ? Ce n'est pas une vie.

Clémentine tâtonna vers l'interrupteur. Elle s'était enfin réveillée. Elle vit le visage de sa mère en larmes. Son rimmel avait coulé. Son père pleurait lui aussi dans l'embrasure de la porte. Il regretterait l'ambre doux, mais le bonheur de sa fille avant tout.

Clémentine pesa le pour et le contre et pour leur plaire décida de consulter. Un chirurgien avenue Foch. Un spécialiste renommé. Habitué aux cas difficiles et à leurs ambiguïtés.

Clitomotrice

Il avait tranché : de la camomille après le dîner. Entre des concoctions de tisane et le bistouri, difficile d'hésiter. Qui à sa place aurait hésité ?

8

La mère leva les yeux au ciel. De la camomille, quelle idée! Payer 150 euros pour de telles absurdités… Elle cria, menaça, se battit la poitrine, tenta de convaincre sa fille. Rien n'y fit. Clémentine voulait essayer les infusions et repousser l'opération. Pourquoi se priver d'un très beau clitoris? Le père ne pouvait qu'acquiescer. Il savait que pour Clémentine se préparait un destin inespéré. À la mesure de la difformité. Il embrassa sa fille et lui acheta des sachets de thé, de verveine, de tilleul et de menthe séchée. Il fallait tout essayer.

Clémentine se préparait des mélanges qu'elle laissait longtemps infuser dans des bols multicolores. Elle buvait à petites gorgées. Espérant à chaque goutte qui cheminait dans sa gorge retrouver la normalité. Sa mère ricanait. Lui demandait tous les jours si l'organe avait rétréci. Clémentine qui ne savait pas mentir, ne pouvait lui dire oui. Bientôt, elle passa ses journées entières à chauffer l'eau, à la verser, à choisir les parfums, à siroter, le gosier presque écorché par le thym, le romarin, la fleur de prunier. Elle buvait en pleurant. Sa mère lui avait concédé trois mois. Trois mois pour obtenir des résultats. Chaque matin, Clémentine sortait un mètre en cuir souple, noir et jaune, et mesurait. Le clitoris n'avait pas bougé. Pas d'un millimètre. Un mètre quatre-vingt-dix-huit. Il avait même un peu forci. Parfois, elle l'évaluait deux, trois, quatre fois dans une même journée. Sans succès.

Clémentine repensait aux paroles du médecin. À sa chance présumée. À son assurance. À ce rien du tout qui l'avait troublé. Elle regardait entre ses jambes, songeait à sa mère et se remettait à sangloter. Elle réfléchit intensément. Le docteur n'était pas resté indifférent. Il avait parlé vite, d'un débit précipité, ses joues avaient légèrement rougi, il avait serré sa main avec une force démesurée. Que s'était-il passé ? Elle eut un doute. Et si on lui cachait la vérité ? Et si elle tenait là la clé d'une destinée unique. Singulière. Magnifique. La clé de la liberté ?

Clémentine, à force de réflexions et d'essences infusées, eut une idée étrange. Comme si dans sa vie, s'était glissé un ange. La lumière fut si forte, qu'elle s'en trouva tout illuminée.

Elle ne devait pas boire la camomille, il fallait s'en imprégner. S'y immerger.

Clémentine entra en salle de bains, comme on entre en liturgie. Avec un respect infini. Elle fit couler le bain, le cœur tremblant, les mains moites. Elle aligna les sachets de tisane un à un et les répandit avec cérémonie. Elle déroula sa *chose* enroulée dans la soie, et pour la première fois la contempla avec curiosité. Elle la posa délicatement sur le rebord blanc de la baignoire et se faufila dans l'eau parfumée qui l'attendait. La *chose* suivit.

La chaleur et la douceur de l'eau glissèrent sur la peau de Clémentine. Elle se sentait exister.

L'abricot sec entre les cuisses gonfla. Clémentine frissonna. Vit la vie pour la première fois. La camomille l'effleurait. L'aile de l'ange les caressait elle et la *chose*. Elle respirait son souffle et se laissait porter par le bruissement de ses lèvres. Une vague ondulatoire qui prenait naissance à la pointe de l'abricot se glissait le long de ses hanches, pour remonter son dos jusqu'à la racine de ses cheveux. Clémentine se regarda dans la glace. Ses joues avaient rosi. Comprit que les quolibets de la rouquine de son enfance ressemblaient fort à de l'envie. Ou à de la jalousie. Peut-être même à de l'ignorance.

Ce tas-là que Dieu lui avait donné, son père avait raison, c'était une bénédiction et quand elle l'aurait décidé, elle saurait en tirer parti.

Clitomotrice

Non seulement il ne fallait pas couper, mais l'ange allait lui enseigner la voie.

9

Clémentine écouta l'ange. Il lui murmurait d'aimer la vie, d'ignorer sa mère et ses
envies de bistouri. Qu'elle savoure le moelleux
entre ses cuisses et qu'elle en tire profit.
Qu'elle parte à l'aventure, qu'elle découvre du
pays, qu'elle franchisse les mers et les monts,
qu'elle rencontre des princes et des rois, qu'elle
apprenne à les séduire, qu'elle les laisse pan-
tois, qu'elle se serve de sa difformité comme
d'une clé pour percer le cœur de tous ceux qui
oseraient l'approcher. Qu'elle répande le miel
et le sucre dans les yeux des hommes et qu'elle

noue autour de leurs tailles des fils avec leurs larmes dont ils ne sauraient se détacher. Qu'ils la croient déesse et qu'ils vénèrent son âme à l'aune de son étrangeté. Qu'elle écoute, qu'elle comprenne, qu'elle reconnaisse les failles, qu'elle sache les combler. Qu'elle fasse fortune et se laisse tenter par la célébrité.

En un mot que son clitoris lui donne l'énergie d'avancer.

Avec humour et simplicité.

Clémentine prit des bains toutes les nuits. Elle s'habitua à la voix de l'ange et découvrait de plus près son intimité. Elle la vit frissonner, la sentit se détendre, se gonfler, l'entendit lui répondre avec des bruits doux quand elle lui confiait ses secrets. Elle l'enduisait de crèmes, la lissait à l'envi. De confidente elle devint son amie.

Tout en effleurant d'effluves de verveine mentholée l'étrange organe dont dépendait la réussite de sa destinée, Clémentine fomentait mille projets. Se rêvait en mer Caspienne, se voulait indienne, de Pondichéry à New Delhi, voguait en côte amalphitaine, dépassait Positano et Rapallo, rejoignait la pointe du Gargano, volait vers Rhodes, Le Caire, Alexandrie pour arriver en Malaisie. Espérait le Laos, Hanoï, la Birmanie. Le clitoris en couronne sur la tête, elle remerciait ceux qui célébraient sa divinité en mille et une fêtes.

Avec moult volutes et autant de naïveté, Clémentine laissait Paris et sa grise mine pour rejoindre les rives enchantées de ces contrées lointaines qui, elle s'en persuadait, outre le plaisir, lui apporteraient la gloire, l'amour et son cortège de vanités.

Perdue dans les vapeurs de la menthe et du tilleul au basilic, la fleur de courgette flottant dans l'eau du bain, Clémentine rêvait. Elle apprenait chaque soir à intensifier les frissons le long de son échine, tout en cachant pendant la journée ce secret que pour le moment elle ne désirait pas partager.

Clémentine voulait partir en quête, parcourir la terre entière, découvrir le monde et ses absurdités. Elle vivait cloîtrée, enfermée dans ses pensées. Bouda l'université.

Clitomotrice

Comment trouver la force? La force de changer?

Passer à l'action. Ne pas attendre le terme de sa vie pour partir en tournée... Croquer l'instant à pleines dents...

Clémentine soupirait.

Avec mon clitoris?

Oui.

10

Pour s'envoler dans ces contrées lointaines, Clémentine avait besoin d'argent, de beaucoup d'argent. Et d'imagination.

Elle réfléchit. Devant la télé allumée. Un paquet de chips dans une main, une tasse de thé à la menthe dans l'autre. Son pas grand-chose qui soudain devenait son tout au tout reposait sur le canapé. Il souriait devant l'imminence de l'action. Enfin. Comme s'il s'était préparé pour cet instant depuis toujours. Comme si la visite chez le médecin, les railleries des petites filles, les humiliations, les tisanes à la camomille et les infusions de verveine avec ou sans baignoire n'étaient que le prélude d'une vie nouvelle. Belle. Agitée. Sensuelle. Surprenante. Délirante.

Clémentine sentit ses neurones s'agiter. Pas très vite. Pas tous en même temps. Il y eut comme un frémissement. Un désengluement. Ils se décollaient les uns des autres. Avec peine, certes. Mais des bulles d'air se frayaient un chemin. Dessinaient des courbes. Des spirales dont s'échappaient des bouffées d'oxygène. Quelque chose se décoinçait dans le cerveau de Clémentine. Quelque chose de doux. D'onctueux. Presque parfumé. Comme si les essences de tilleul et de menthe s'étaient faufilées sous son cuir chevelu, couraient le long de sa nuque, jusqu'au sommet du crâne. Puis pénétraient. En ondes lisses. En vagues multiples. À l'intérieur. Par-delà le dos de la tête. Là où le dur s'arrête. Ou commence le moelleux.

Clémentine découvrait le moelleux. Il emplissait son être. La rendait perméable au monde extérieur. Disponible. Ouverte à l'aventure. Tournée vers la conquête.

Clitomotrice

Mer Caspienne. Trois semaines. Dix mille euros. Remontée du Saint-Laurent et Gaspésie. Un mois et demi. Six mille euros. Los Angeles, Santa Barbara, Big Sur, San Francisco et Berkeley. Beaucoup plus. Surtout si elle décidait de dormir dans les palaces. La côte amalphitaine, Positano, Ravallo, Sorrento, Amalfi après avoir visité Naples et Capri, une semaine entière. Mille à deux mille euros. Pékin, La muraille de Chine, la cité interdite, les Philippines, l'eau pure de Phi Phi Island, le Raffles à Singapour, l'île Maurice, le Banyan Tree à Bintan avec une piscine devant la chambre, Le Regent de Chiangmai, la suite présidentielle et rien d'autre, les odeurs et le bruit de Bangkok, la douceur du Aman de Borobudur et celui de Ubud. Six mois peut-être. Beaucoup, beaucoup d'euros.

Clémentine ferma les yeux. La télé allumée. Avec du soleil, des palmiers et des maillots échancrés. Elle se vit en Islande, cassant la neige en Finlande, partir pour le Kilimandjaro… La tête de Clémentine tournoyait. Basculait de droite à gauche. Comme un bateau qui tangue.

Clitomotrice

Il lui fallait beaucoup d'argent. Elle cassa sa tirelire en forme de cochon que ses parents lui avaient offerte pour ses sept ans. Cinquante euros et dix cents. Ses études de biologiste même terminées dans quatre ans ne lui permettraient jamais de telles équipées.

Elle fixa l'écran de télévision.

Regarda son clitoris.

Regarda l'écran télé.

Regarda son clitoris.

Regarda l'écran télé.

Clitoris.

Télé.

Du moelleux.

Des pointillés électroniques en formes de visages et des rires saccadés.

Clitoris.

Télé.

Du rose pâle enrubanné dans des voiles orangés.

Du mauve, du bleu, de la lumière en spots et de la musique un peu trop forte.

Clitoris.

Télé.

Clémentine zappa.

La guerre en Irak. Des blonds avec des grandes bouches qui mâchent du chewing-gum. Des Barbes noires avec des grands yeux qui crient Allah.

Le clitoris sursauta.

Des bruits de bombe. La clameur du monde. Des femmes tuées à Tel Aviv. Des enfants qui pleurent sur les tombes. Des mères en foulard qui tordent leurs bras.

Clitomotrice

Le doigt pressa la boîte noire à boutons.

Des tours qui s'enflamment. Des chiens qui chantent pour une publicité de déodorant frais.

Et des zébrures rouges. Bleues. Et blanches.

Clémentine frissonna.

Son regard se brouilla.

Elle serra très fort *sa chose* entre ses mains. Elle ne savait à quoi se raccrocher.

We'll rock you, we'll rock you... Des visages ridés, de l'eau, un escalator et une femme devant une photocopieuse.

We'll rock you.

Perdue dans l'univers entier. L'âme déchirée entre les boucles de Madonna, le nez de Michael Jackson, le catogan de Monica Bellucci, les petites vieilles qui mendient recroquevillées sur le trottoir, les masques blancs de Hong Kong.

Elle essayait de se concentrer. Trouver de l'argent.

Comment trouver de l'argent?

Clémentine retint son souffle. La grève des fonctionnaires. Les défilés dans la rue. Les courbes du chômage. Les infirmières qui baissent les bras. Les maternités fermées. La pneumopathie qui atteint le corps médical en priorité.

Elle se sentit si seule tout d'un coup. Si désemparée.

Clitoris.

Télé.

Clitoris.

Télé.

Elle ne pouvait pas fuir. Le monde semblait si fou. Un peu partout.

Clitomotrice

Un chose, une seule lui paraissait certaine. Elle se rappela les mots du médecin.

Un clitoris certes, mais le plus beau clitoris... du jamais vu.

Clémentine sourit.

Pourquoi se torturer plus longtemps? La clé de la liberté, de son envol vers les mers d'émeraude et les cieux étoilés, elle la tenait là entre ses doigts. À travers la soie du ruban, la jeune fille vit que la chose tremblait. Elle la calma.

Elle avait un très beau clitoris? Eh bien, il fallait en profiter.

11

Clémentine commença par le commencement. Ce qui lui semblait le plus aisé. À portée de main. Elle embrassa son père et lui demanda s'il était prêt à payer. L'homme la jaugea avec un étonnement non dissimulé. Payer, et pourquoi faire? La jeune femme dut lui expliquer. Pour voir *sa chose*, bien sûr. S'il payait, elle ne dirait rien à sa mère. Promis juré.

Le père, mettez-vous à sa place, ne lui répondit pas immédiatement. Pourquoi payer pour ce qu'il avait eu l'habitude de contempler, de toucher même, impunément? Il évaluait la situation. Caressa son crâne luisant. Valait-elle vraiment le coup cette proposition? Avait-elle tellement changé cette chose qu'il avait lui-même nourrie de ses attentions sémantiques? Pourquoi dépenser ses économies de fin de vie pour un bout de chair, fort bien pourvu, certes, mais un bout de chair tout de même? Bien sûr, l'idée de sa fille l'excitait. Enfant, elle subissait. Ne savait pas que les yeux de son père la dévoraient. Il en avait toujours gardé un sentiment de culpabilité. Clémentine lui offrait là une occasion de l'examiner sans se sentir ni responsable, ni coupable. C'était elle qui demandait, il ne ferait qu'acquiescer.

Clémentine devant son silence, le poursuivit de ses avances. Suppliait. Juste une fois ou deux. Pour remplir la tirelire. Pour commencer.

Il essaya de marchander. De finasser. Suis-je bien le premier? Le jeu en vaut-il la chandelle? La jeune fille l'assurait que personne, vraiment personne ne connaissait son secret. Elle voulait dix euros la séance. Devant son indifférence, elle descendit à trois, puis à deux, en espérance. Elle se perdait dans la couleur bleue de la mer des Seychelles et devant le dépliant du Club Méditerranée, les yeux baignés d'innocence, elle rêvait. Elle devait le faire céder.

Il se laissa prier. S'amusant de sa fille et de son insistance, y puisant une énergie revigorante qu'il n'aurait jamais espéré retrouver à soixante ans. Et puis elle ne demandait pas grand-chose, la Clémentine. Un coup d'œil qui le remplirait d'aise pour le prix d'une brioche au beurre, dans la boulangerie de la rue d'à côté.

Il accepta.

Ils attendaient le départ de la mère, pour le marché, elle avait abandonné teinturerie et café, et la cérémonie commençait.

Le père s'asseyait sur le canapé, lisant son quotidien de la matinée. Clémentine mettait un CD de *Don Giovanni* et dépliait ses foulards de soie un à un. Elle déployait avec grâce son lys parfumé. Presque en dansant. En vagues ondulatoires et généreuses. Le déposait près de l'homme qui sans abandonner sa lecture feignait de regarder d'un œil distrait. Sa fille s'approchait, voulait capter son regard, l'emprisonner dans ses filets de soie. Le père était malin. Il donnait moins et espérait plus. Secrètement, ce qu'il désirait, c'était toucher.

Clémentine ne comprit pas tout de suite. Elle habillait la *chose*, vaguement déçue. Lui susurrait abricot, caille, courgette, comme si elle voulait lui rappeler leur feue intimité. Il ne répondait pas. Faisait mine de ne pas entendre. Fouillait dans ses poches, et jetait quelques pièces à sa fille avec condescendance.

Clémentine eut beau changer de musique, essayer Brahms, Liszt et Puccini, l'homme ne bronchait pas. Il allumait la télé dès qu'elle commençait sa danse initiatique.

Clémentine maigrit. Refusait de continuer ses cours à l'université. Son père, tout clitoris découvert, ne la voyait pas. Elle perdit de vue ses objectifs. Ne pensait plus à l'argent et à ses tournées en Afghanistan. Pleurait toute la journée. Il restait de marbre. Lui qui avait su la faire tant sourire, la torturait.

Sa mère ne s'aperçut de rien. Clémentine n'osait se confier. La honte était trop ample.

Elle abandonna ses bains de camomille, ses infusions de verveine, sa *chose* devint toute pâle et morne. Comme en berne.

Quand son père la vit si triste, il lui proposa d'arrêter. Clémentine lui apporta de la crème au gingembre confit et lui demanda de la caresser. Il refusa d'abord. Lui dit que Dieu les voyait et qu'il les punirait. Clémentine sourit. Son père lui avait parlé !

Il l'enduit de crème, du bout des doigts, comme à la dégoûtée. Elle le vit bander. Elle sentit son abricot se gonfler.

Il refusa de payer.

Clémentine se rhabilla sans rien dire. Lui demanda son dû. Il reprit son journal et alluma la télé.

Clitomotrice

Elle réclama une deuxième fois.

Il la regarda d'un air amer, et lui répondit qu'elle avait bien profité. Il ne payerait pas.

Clémentine se glaça. Se rendit compte de l'absurdité du geste. Elle se donnait. Il prenait sans donner. Son propre père. Elle ne se fâcha pas. Elle eut pitié de ce vieillard qui venait de perdre en un instant tout l'amour et l'estime de sa fille.

Elle partit en haussant les épaules.

Il ne payait pas? D'autres payeraient.

12

Clémentine acheta deux carnets. Un vert et un doré. Sur le vert, elle inscrivit en tout petit *sorties.* Elle lista exactement le nom des lieux qu'elle désirait visiter. En face la somme que le voyage exigeait. Cela donna ceci :

Bali 16 000 euros
Chiangmai 17 000 euros
Phi Phi Island 10 000 euros
Oslo 5 000 euros
Verbier 6 000 euros
Megève 4 000 euros

Clitomotrice

Johannesburg 22 000 euros
New Delhi, Kerala, Pondichéry 20 000 euros

Elle fit ses comptes. Elle avait besoin de 100 000 euros.

Sur le carnet doré, elle écrivit en gros caractères, en lettres capitales, *entrées*. Elle mordit son stylo. Lança un regard ému quoique vacillant à ce *rien du tout* qui prenait tant de place. Jeta des idées en vrac. Les étudiants à l'université. Les maris, les fils, les amants de l'immeuble. Surtout les amants. Ils étaient de passage et resteraient discrets. Organiser des séminaires à la Cité des Sciences sur la sexualité féminine, théorie et travaux dirigés. S'exhiber à la Foire du Trône entre la femme tronc et l'homme sans pieds. Courir les boutiques pourpres de Pigalle et du boulevard Barbès. Se cacher la face et immoler sa volumineuse intimité aux yeux des tristes et des désespérés.

Avancer masquée.

Clémentine se voyait tournoyer, *sa chose* nouée autour de la taille, tantôt enroulée, tantôt déployée, dans les rues de Paris, légère et insouciante, le son d'orgue de Barbarie dans la tête, initiant une danse étrange dont elle seule détenait le secret. Clémentine ne songeait pas aux obstacles. Au qu'en-dira-t-on. À la fatigue. À l'épuisement. Au risque. Au danger.

Elle riait devant l'énormité de l'entreprise. L'insanité de l'idée. C'était drôle un énorme clitoris que les autres payeraient pour regarder !

Et même, songeait Clémentine, si tout se passait comme elle l'espérait elle pourrait passer à la télé. *C'est mon choix, Tout le Monde en parle, On ne peut pas plaire à tout le monde, Ça se discute.* Clémentine fronça les sourcils et interrompit sa rêverie. À la télé elle devrait porter un loup noir ou bleu marine.

Mais sa participation serait-elle rémunérée ?

13

Clémentine fit exactement ce qu'elle avait décidé.

Elle qui longeait les murs et se cachait quand on osait l'inviter à boire un verre au café, elle qui ensevelissait sa *chose* sous des jupes qui couraient jusqu'à ses pieds, la tressa avec des fils dorés et des rubans de taffetas damassés. Elle la ramenait sur son dos qu'elle couvrait d'une cape en velours vert. Trouvée dans une des allées du marché Saint-Pierre. Pourquoi trop dépenser ?

Elle choisit des escarpins en vachette bicolore à bouts pointus. Ouverts sur le côté. Très bien finis. En solde rue du Cherche-Midi. Elle dénicha dans le stock d'un grand couturier, rue d'Alésia, une minijupe noire sertie de boutons en laine d'alpaga. Avec un foulard fuchsia.

Elle s'acheta dix loups. Une couleur par humeur et par voyeur. Orange pour les jours de sérénité. Rouge rubis pour les fins de nuits. Émeraude pour les ruelles sombres dans lesquelles personne ne rôde. Topaze pour les après-midi d'été. Opaline pour les moments de déprime. Cerise pour les soirs de crise. Mauve et argenté pour les plus âgés. Jaune citron sans aucune raison. Noir et blanc, comme dans un roman.

Clémentine fut prise d'une énergie débordante. Les yeux humides, sa *chose* enrubannée, et les mains moites, elle partit le cœur léger entreprendre la tournée des hommes qui la côtoyaient.

À l'université, elle repéra Paul, Jacques et Pierre.

Paul était toujours très bien habillé. Un brin sophistiqué. Clémentine avait remarqué les tennis Prada, le tee-shirt Jean-Paul Gaultier. Son air de dandy blond échevelé aurait pu convenir pour la couverture d'un *Vogue* ou d'une affiche de publicité. Il écrivait des poèmes sur des petits carnets achetés chez Marie Papier. Avec des ongles manucurés et une peau soignée. Son regard était si profond, on aurait dit qu'il l'avait souligné avec un crayon khôl, ramené de Marrakech. Clémentine en aurait mis *sa chose* à couper.

Celui-ci, calcula la jeune fille, dépensera bien quelques centaines d'euros.

Il fallait juste trouver un endroit approprié. Les toilettes du Flore, bourgeoises, mode, intellectuelles branchées. Ou un coin reculé dans un restaurant rue Tiquetonne. Au milieu des carreaux de faïence en damier et des pulls noirs à fermeture éclair remontée à moitié.

Jacques s'habillait ton sur ton, chemises pastel et pantalon bleu foncé. Il osait le rose clair et le pull rouge en mohair. Des mocassins cirés, une gourmette au poignet. Sa coupe de cheveux découvrait le sommet de ses oreilles qu'il exhibait fièrement. Parfaitement collées. Clémentine le dévisageait sans vergogne. Le jeune homme souriait d'aise, persuadé de l'effet de ses charmes policés. Elle l'évaluait. Combien pourrait-il donner? Ce n'était pas tant le lieu qui importait que le moment de la journée, réfléchit la jeune fille. Elle devait le surprendre, trouver la faille dans l'ordre de sa petite vie bien réglée. Lui proposer une folle équipée vers minuit au Pub Renault ou au Virgin Mégastore. Le retrouver tôt le matin. Ou très tard le soir. Au Champ-de-Mars ou dans les jardins de Bagatelle.

Clémentine riait.

Elle allait vraiment s'amuser!

Quant à Pierre, c'est son sourire qui l'avait attirée. Rempli de bonté. Des cheveux en cascade. Frisés. De vieux jeans délavés et rapiécés. Et des yeux tendres. Veloutés. Ces yeux-là ne sauraient dire non. Ils se contenteraient de la chambre de Clémentine, de l'ascenseur, de l'es-

calier. Ils ne réclameraient rien. Ils se laisse-
raient guider. Ils donneraient moins que les
deux autres mais plus souvent et plus longtemps.

Avec les trois, Clémentine sortit sa calcu-
lette, elle couvrirait Bali et peut-être New
Delhi.

Clémentine se concentra. Trois hommes,
trois stratégies.

14

Clémentine flatta Paul, lui demanda de lire ses écrits, le rassura sur son génie. Lui conseilla d'investir moins dans les chaussures et les habits de prix. Un écrivain tel que lui, méritait mieux que la vanité des marques et leur futilité. Il devait travailler, développer son talent, le cultiver. Dans le calme et la sérénité. Fuir la foule qui s'appropriait ses idées. Elle lui promit, s'il suivait ses conseils, la gloire, l'argent et la célébrité.

Paul qui n'en demandait pas tant, s'enivrait des paroles de Clémentine. Il voyait pour la première fois cette fille, ni belle, ni laide, ni grosse, ni maigre et l'écoutait. Les yeux avides et mouillés de reconnaissance. Comment avait-elle pu le comprendre à ce point? Ils étaient pétris du même bois, c'était certain.

Clémentine repoussait gentiment ses avances. L'isolait encore plus gentiment. S'assurait qu'il dépensait de moins en moins et le flattait de plus en plus. De câlinerie verbale en câlinerie verbale, Paul se retrouva seul toute la journée. Fiévreux et anxieux de bien faire. Il avait loué un deux pièces dans le Marais. Écrivait et attendait tremblant le jugement de Clémentine. Ses compliments. Au début, elle sut se montrer généreuse en oh! et ah! d'admiration. Lisant à haute voix le moindre de ses vers. Puis vint le temps de la critique, de la moquerie, du blâme du plus infime travers.

Le pauvre Paul, sans amis, sans habit, en chaussettes, suppliait Clémentine d'un humble regard. Il écrivait avec fureur. Noircissait des carnets qu'elle ignorait hautaine. Il ne sortait plus. L'implorait de rester près de lui. Elle venait, partait, virevoltait, lui donnait des nouvelles du monde extérieur. Lui achetait les magazines à la mode qu'il refusait de lire, reniant d'un seul coup une vie qu'il avait tant aimée. Son crâne échevelé s'était assagi. Ses mèches folles s'aplatissaient désormais sur son front. On aurait dit Tintin en Afrique en moins sympathique.

Le jeune homme quémandait caresses et tendresse. Clémentine s'esquivait en riant. Il obtiendrait bien plus, s'il savait retenir ses envies.

— Quoi ? tentait l'écrivain de fortune.

— Tu verras, répondait Clémentine comme si elle lui promettait la lune.

Le manège dura deux mois. Clémentine hésitait à passer à l'action. Au dernier moment, elle craignait qu'il se moque à son tour de son abricot des îles, qu'il refuse comme son père de l'apprécier à sa juste valeur. Elle regarda en coin sa proie. Examina ses yeux hagards, son air triste et sa peau devenue terne. Les tasses empilées sur la table de nuit et les papiers froissés qui traînaient au bord du lit. Elle calcula une nouvelle fois. Ce Paul-là avait bien dû accumuler trois mille euros d'économies.

Un soir, ses avances se montrant de plus en plus pressantes, Clémentine lui laissa toucher la bosse qu'elle cachait sous sa cape.

Il demanda ingénument.

— Et ça ?

Elle répondit avec grâce.

— Tu veux vraiment savoir ?

Le souffle court, les mains jointes, les yeux avides, il pressa sa main et murmura :

— Oui.

— Alors, dit Clémentine. – Si tu veux voir… Elle arrivait difficilement à articuler. Elle crut que les mots n'arriveraient jamais à franchir son palais. – Alors… répéta-t-elle. Elle hésita…

L'homme l'implorait. Les prunelles dilatées.

— Alors, lâcha Clémentine le cœur serré, alors, il faut payer. Elle sentit sa gorge se nouer. Comme un grand frisson parcourir son échine. Elle l'avait…. Elle l'avait proposé. Il fallait payer pour partager son intimité. Clémentine eut peur tout à coup. Tentée de reculer. Laisser là ce benêt et retrouver le bleu du ciel et la blancheur du soleil.

Elle pensa à la feuille sur laquelle elle avait inscrit entrées, sorties, à son plan détaillé. Difficile de renoncer.

L'homme haletait. Il courut vers son chéquier. L'implora.

— Tu veux combien ?

Clémentin hésita. La tâche lui semblait trop aisée. Craignit la moquerie et l'échec.

— Dis, dis… Ton prix sera le mien.

Clémentine fut prise de pitié ; elle caressa la nuque de Paul et lui susurra à l'oreille.

— Mille euros pour commencer, ce sera très bien.

Il sursauta à peine, juste le temps de convertir en polos Jean-Paul Gaultier et en jeans qu'il ne porterait plus jamais, et les lèvres gourmandes en une moue crispée, il lui tendit le bout de papier.

— Tiens, j'ai mis mille cinq cents, tu le mérites bien.

Clémentine le fit asseoir sur son canapé. Fixa ses pupilles.

— Tu es prêt ?
— Tout à fait.

Sans avoir rien vu, le jeune homme bandait déjà comme il n'avait jamais bandé. Clémentine se dit qu'après tout, puisqu'elle avait eu l'argent, elle ne devrait peut-être pas lui montrer la *chose* ; peut–être suffirait-il de la lui raconter.

Il était si tendu. Avec des larmes de sueur sur le crâne. Elle hésitait. Elle n'éprouvait rien pour cet homme. Rien du tout. Son cœur restait sec. Et elle allait lui dévoiler ce qu'elle avait de plus cher, de plus secret. Clémentine voulait s'enfuir. Il attendait. Ses veines du cou prêtes à bondir.

La jeune fille prit peur. Pourquoi l'avoir provoqué ? Elle fit mine de lui rendre l'argent ; son regard la menaça. Dur. Elle se sentit prise au piège ; sans pouvoir s'échapper, elle dénoua sa cape sans le regarder. Alluma la chaîne stéréo. La voix d'Emma Shaplin s'éleva...

— Alors ?
— Alors, regarde.

Elle fit volte-face et dénoua une à une ses bandelettes damassées. Dégrafa les voiles et déplia sa *chose* qui tomba en cascade à ses pieds. Emma Shaplin continuait de chanter. Sa *chose* ondoyait au rythme des trémolos de sa voix. Elles étaient unies, elle et sa courgette farcie dans ces envolées lyriques qu'elle ne contrôlait pas.

Clémentine dansait. Son canari jeté par-dessus les épaules se balançait de droite à gauche, de gauche à droite, dans un mouvement de balancier improbable. Elle se laissa aller à la volupté de la musique, oubliant jusqu'à la présence de Paul derrière son dos.

Tout entière à son ondoiement, elle sortit un loup rose de la poche de sa jupe et allait se retourner quand elle entendit un grand bruit sec sur le parquet.

Paul était tombé sur les lattes de bois. Un filet de sang sur sa tempe. Clémentine se rhabilla avec hâte en haussant sourcils et épaules. Quel niais !

Elle appela Police Secours. Elle avait tâté son pouls, il ne courait aucun danger. Elle retissa sa *chose* et l'enfouit sous cape.

La prochaine fois, elle s'épargnerait les tralalas. S'ils tombaient tous comme des mouches à la seule vue de son truc, elle n'y arriverait jamais. Elle mettrait moins de soin à la préparation, irait plus vite en besogne. Pour rentabiliser la situation.

Quand les pompiers arrivèrent, Paul avait repris connaissance. Il sanglotait sur le lit. Lui promettait l'amour éternel. Lui faisait jurer de ne jamais le quitter. Demain, oui demain, il lui présenterait ses parents. Il fallait se marier sans tarder.

— Je n'ai jamais rien vu d'aussi beau, répétait-il hébété. – Jamais.

En soupirant, et lui caressant la nuque distraitement Clémentine vérifia qu'elle avait bien glissé le chèque dans sa poche.

Tant d'histoires, ça devenait fatigant.

Les pompiers emmenèrent Paul aux urgences. Il fit jurer à la jeune fille de la revoir bientôt. Lui rappela son numéro de portable. Elle dit oui avec la tête. Avec les yeux, elle regardait un des infirmiers qui la regardait

aussi. Du muscle, des épaules grandes comme
ça et des pectoraux bien fermes.

Clémentine ne put s'empêcher de penser.
Avec celui-ci, je pourrai peut-être couvrir un
aller-retour à Rome, EasyJet ou Nouvelles
Frontières. Au maximum. Mais bon, il était
bien fait de sa personne.

Son abricot sous les tresses frétillait. Elle
lui conseilla de s'apaiser.

Rester zen et ne pas exagérer.

15

Clémentine regretta l'infirmier quelques heures, Paul la rappela plusieurs fois, elle lui dit d'envoyer d'autres chèques mais refusa de le rencontrer. Ramasser un jeune homme ensanglanté sur le parquet, c'était beaucoup trop compliqué à gérer.

Clémentine avait repéré Jacques et sa gourmette au poignet. En une semaine, elle devait récolter de quoi organiser une croisière en Scandinavie et une tournée en Croatie.

Elle alla droit au but. Lui parla de sa *chose*. Il voulut des précisions. La longueur exacte. La largeur. L'épaisseur. Toutes les dimensions. Il ne la crut pas. Clémentine souriait d'un air mystérieux et paria. Mille euros pour voir. Il acheta un mètre. En bois verni. Elle l'emmena rue de Rivoli, dans un restaurant chic près des Pyramides du Louvre. Elle déploya *sa chose* et elle mesura. Il émit un sifflement. Paya comptant.

Il voulut toucher.

Clémentine hésitait. Il avait les yeux d'un beau bleu foncé ; des poils dépassaient drôlement de sa chemise, frisés sur sa poitrine. Une croix en or autour du cou. Il n'était pas très grand. Un léger gras sur les hanches et sous le menton. Elle craignit les maladies tout à coup. Le repoussa en riant.

— Qui me dit qu'il est vrai ? protesta-t-il.

— Moi, répondit la jeune fille en se rhabillant.

Il promit plus, beaucoup plus si elle le laissait tâter de plus près. La croix dodelinait en gage de sincérité.

Avant de se décider, elle devait réfléchir. Elle prit son adresse et lui jura qu'elle le rappellerait.

Clémentine fit ses comptes. Celui-ci ne parlait pas d'engagement mais se montrait fort gourmand ! Si elle laissait toucher son lys framboisé aussi aisément, elle se fatiguerait très facilement.

Clémentine désirait montrer mais pas plus.

Elle repensa à Paul, à son coupé décapotable. À ses largesses probables. En une seule journée, elle pourrait couvrir le Taj Mahal, le Kerala et Pondichéry. Voilà de quoi la tenter. Mais sa courgette, toute farcie qu'elle était, ne durerait pas éternellement. Elle se devait de la protéger. De la préserver. Non pas des regards indiscrets mais des doigts trop pressés.

Clémentine sentait sa tête tourner. Des tourbillons de rêves et de futilités. Elle voulait plonger. Tout lâcher. Sortir son clitoris au vent, humer la caresse de l'air et partir à l'aventure. Ne pas trop réfléchir. Oublier les comptes. Les chiffres. Les additions. Les multiplications. Les stratégies. Les folies tactiques.

Se reposer. Laisser son abricot libre et voguer.

Elle marchait.

Longeait le Louvre. Ses pieds dans le sable des allées. Les touristes japonais voulaient la photographier. Elle accélérait la cadence. Rejoignit la Seine. Se gorgea de la vue de l'eau. De la puissance du vent. Du gris du ciel qui la pénétrait.

Oublier Paul, Jacques, son père et tous les autres à venir. Se laisser porter par l'onde. Limpide. Translucide. Devenir lumière. Fille d'or tressé.

Respirer la brume et s'évanouir vers le soleil levant.

Elle arriva rue des Saints-Pères. Revint en arrière. Longea les boutiques des antiquaires. Se rêva Joséphine de Beauharnais. Son clitoris posé à ses côtés. Une couronne de lauriers sur la tête.

Elle atteignit rue Guénégaud.

Accéléra le pas. Comme mue par une force invisible. Un instinct qu'elle ne saurait bientôt plus contrôler. Elle sourit aux galeries.

Devant la Palette, elle se souvint soudain.

Pierre aimait peindre. Il le lui avait avoué pendant la pause café après le cours de biologie. Il fallait lui parler. Certainement quelques euros à ramasser.

Il n'y a pas de petit profit, songea Clémentine. Elle se pencha sur son méli-mélo sucré salé. Toujours aussi enrubanné.

— Qu'est-ce que tu en dis ?

— Il est plutôt joli garçon, répondit la courgette farcie. Osons.

— Oui, osons, lâcha Clémentine.

16

Pierre fut ravi de la proposition. Il acheta chez Graphigros, rue de Rennes, des pinceaux, des fusains et du canevas tissé.

Ils s'installèrent dans la chambre de Clémentine. Tous les jeudis après-midi.

Le père leva à peine les sourcils. Grogna à la vue du jeune homme mais ne demanda rien. La mère se perdit en sourires et courbettes, et proposa des fruits confits et du thé. Earl Grey. Ils refusèrent poliment. Quand elle apporta sur un plateau doré des sucreries et des gâteaux salés en voulant ouvrir la porte sans frapper, elle dut rebrousser chemin. Clémentine l'avait fermée à clé.

Pierre lui proposait de s'allonger sur le lit-canapé. L'abricot des îles enroulé sur le côté. Il fermait les yeux cherchant l'inspiration. La priait de rester immobile. Attendait le moment. Et puis d'un seul coup crayonnait. Avec ferveur et enthousiasme.

Au début, Clémentine se sentit flattée. Égérie d'un peintre, voilà peut-être sa destinée. Elle oubliait ses songes de contrées lointaines et s'abandonnait au plaisir de poser. Elle était bien là, près de ce grand frisé aux yeux miel et doré. Les neurones en suspens. En un étrange et voluptueux flottement.

Mais Pierre devint plus exigeant. Après les esquisses au fusain, il choisit l'aquarelle. Lui demanda de se lever. De tenir son aubergine dans une main comme une traîne de robe de mariée. De prendre une moue triste. Une moue à la Jeanne Moreau dans *Jules et Jim*.

L'idée paraissait amusante. S'avéra fort fatigante après quelques heures d'attente. Clémentine bâilla. Pierre eut le regard sévère. Clémentine songea qu'ils n'avaient pas fixé le prix des séances.

Pierre ne manquait pas d'imagination. Il inventa toutes sortes de positions.

À genoux, l'abricot autour du cou.

Sur le dos, à plat sur la moquette, le lys relevé sur le sommet de la tête.

En tailleur, la tête inclinée sur le côté, la caille enroulée à des marguerites séchées.

Clémentine se plia à ses fantaisies d'artiste mais le jeu commençait à l'agacer. Elle n'était plus très sûre qu'elle pourrait en tirer quelque profit. L'homme restait gentil mais peignait sans la voir. Elle et sa *chose* se faisaient transparence dans le miel de ses yeux.

Au bout de quelques semaines, les tibias, les rotules endoloris et son clitoris meurtri à force d'avoir été retourné dans tous les sens, Clémentine se dit « ça suffit ».

Elle réclama son dû. Vingt-huit séances, ça devait…

Il l'interrompit en riant. Lui demanda de cesser cette plaisanterie. Il n'avait pas le sou, elle le savait bien. Il lui rendait service à l'immortaliser elle et son bien.

Clémentine jeta un regard sur les dessins. Vit son tas en noir et blanc et en couleurs, de face, de dos et de profil. Honnêtement, elle préférait vivre, plutôt qu'attendre une improbable immortalité.

Elle lui dit de ramasser pinceaux, tubes et papiers et le poussa dehors sans regret.

17

Clémentine laissa Pierre à son fusain, ses aquarelles et ses toiles tissées.

Elle prit rendez-vous avec le directeur de la Cité des Sciences et de l'Industrie. Offrit ses services au Musée d'Art moderne de la Ville de Paris. Se proposa en attraction pour éviter une fermeture imminente. Il fallut remplir des formulaires, serrer la main de bon nombre de fonctionnaires. On lui demanda de constituer un dossier. Développer un argumentaire. Assorti d'un budget. En dix exemplaires.

Clémentine présenta des photos. Inventa des légendes, des graphiques, des courbes de statistiques. Des hommes derrière des bureaux hochaient la tête, sceptiques. Soupçonnaient la supercherie. Voulaient des preuves. Prétextaient le manque de temps, de place dans les galeries. Le sujet semblait intéressant, assurément, mais fallait-il l'autoriser aux enfants? Elle devait l'intégrer dans une thématique, trouver d'autres cas cliniques… Tout paraissait bien compliqué. Ils gardaient les photocopies et proposaient à Clémentine de rappeler. Ou d'envoyer des mails de relance de temps en temps. C'était plus pratique.

Clémentine ne se découragea pas. Elle peaufina la mise en page. Promit aux crânes lustrés qui demandaient à chaque rendez-vous davantage, qu'ils ne regretteraient pas leur décision. Ils pourraient ramener les foules, la radio et la télévision. Ils répondirent que son projet passerait bientôt en commission.

En attendant…

En attendant Clémentine sortit ses loups

colorés et frappa aux portes de son immeuble. Elle avait préparé une plaquette. Avec les tarifs. Qu'elle tendait dès la porte d'entrée. Les hommes ne comprenaient pas immédiatement. Elle avait inscrit sur des feuillets jaune vif, en lettres capitales, clitoris en kinévision. Du jamais vu, même à la télévision.

Elle expliquait rapidement. Ils la poussaient dans l'entrée. Et sortaient leurs billets. Elle mettait son abricot sur la table. Souriait de leur mine étonnée. Prenait l'argent et filait.

Un jour, un gros à lunettes la reconnut dans la cage d'escalier. Il l'attira contre la rampe. Et la supplia de toucher. Clémentine le poussa rudement et s'enfuit en courant.

Il fallait changer d'immeuble, c'était trop dangereux.

Évidemment.

— Évidemment, répéta le lys en soupirant.

18

Clémentine avait récolté assez d'euros pour louer un studio. Elle abandonna son père et sa mère, boulevard Voltaire, et s'installa dans une chambre sous les toits rue Delambre.

La mère avait pleuré, crié, supplié. Le père n'avait dit mot. Ils trouvaient tous deux que leur fille avait changé et sans se l'avouer se trouvaient par ce départ fort soulagés.

Clémentine n'acheta aucun meuble. Juste un futon et quelques plantes vertes. Tous les soirs elle comptait son argent espérant le moment où enfin elle pourrait partir au loin. Elle s'épuisa. Ne se nourrit plus. Pour faire des économies ne mangeait qu'au resto U.

Elle courut Barbès, Pigalle. Ondoya derrière des miroirs sans tain, sa courgette à la main qu'elle faisait valser en des ballets à la fois tristes et sophistiqués.

Son agenda était gorgé de rendez-vous. Des bruns, des blonds, des rouquins, des frisés, des chauves, des barbus, des moustachus, des petits, des baraqués, des poètes, des niais, des gentils, des brusques, des doux, et bien d'autres encore.

Elle loua ses services dans les foires. On venait admirer son extrémité entre deux gaufres et trois barbes à papa.

Certaines nuits, Clémentine pleurait en silence. Seule, sur son futon, à même le sol, elle se demandait : «À quoi bon?» Doutait. Pourquoi tous ces efforts? Pourquoi désirer l'ailleurs? Pourquoi souffrir? Pourquoi se jeter en pâture aux regards des autres? Pourquoi espérer le lointain? Elle rêvait d'autre chose, sans savoir quoi. Quand? Oui, quand aurait-elle assez d'argent pour partir? Quand tous ces étalages allaient donc finir? Clémentine se sentait seule. Désespérément seule. Le but si lointain. Absurde. Ridicule. Ne valait-il pas mieux en terminer? Suivre l'avis de sa mère, opter pour le bistouri et s'assurer une vie normale de jeune fille de son âge?

Les doutes la tenaillaient. Certaines nuits, elle se réveillait en larmes, son abricot en sueur. Perdue. Ne sachant à qui parler. Elle criait le silence.

Qui de toute façon ouïrait sa souffrance?

L'abricot se tenait coi. Il n'aimait pas ces moments-là. Ces moments de douleur; de grande désespérance. Il gisait sur le parquet, tremblant, espérant l'accalmie.

Clémentine le fixait sans noter sa présence. En absence.

Elle aurait voulu naître autre. Différemment. Perdait son courage et son entrain. Elle se démaquillait le visage et songeait : « Quand cette vie s'arrêtera-t-elle enfin ? »

Elle s'assit.

Réfléchit.

Avec à ses pieds, l'aubergine farcie. Elle lui murmurait :

— Je ne te quitterai jamais. N'oublie pas, je suis ton amie.

Clémentine levait les yeux au ciel. Préférait se taire que vexer le bout de chair.

Les murs étaient blancs. Dans la pièce vide, le clitoris ballant, Clémentine ne savait que décider. Perplexe et pourtant sûre de sa glorieuse destinée.

Elle se savait à la croisée des chemins. Elle devait cesser de les parcourir sans entrain et s'épuiser.

Elle chercha dans la pénombre la voix de

l'ange. Regretta les tisanes de tilleul et se promit le lendemain d'en acheter.

Le lendemain, elle réussirait. Elle en était
soudain persuadée.

19

Clémentine ne s'était pas trompée. Elle rencontra le jour suivant une camarade d'université. À la sortie du Luxembourg. Elle ne l'avait pas revue depuis la fin du printemps. Une brune aux épaules carrées qui parlait vite, avec un débit saccadé. Un rire nerveux et des dents brunies par le café.

— Tu n'as pas changé.
— Toi non plus.

Elles échangèrent quelques banalités sous la pluie du boulevard Saint-Michel.

— Moi, depuis que Bernard m'a quittée, j'ai décidé d'avoir un orgasme par jour.

Clémentine pinça sa lèvre inférieure et ouvrit des yeux très ronds.

— Vraiment?
— Oui.
— Et alors?
— Alors, rien. Je souffre. Et toi?
— La routine. – Clémentine serra très fort son oiseau des îles. – Pas de quoi fouetter un canard laqué.

La fille, après deux éclats de rire hyperboliques, lui demanda.

— Et celle de la clémentine tu la connais?

Clémentine sursauta. Essuya d'un revers de main quelques gouttes de pluie qui avaient perlé sur son front.

— Je ne comprends pas. C'est de moi qu'il s'agit?
— Mais non, répliqua la fille. Du fruit.

La pluie tintait *tilt* sur le pavé. Elles se firent bousculer par deux étudiants pressés, deux bruns baraqués. Se réfugièrent sous un abribus.

— C'est l'histoire d'un médecin qui revoit une vieille connaissance. Il lui conte sa fortune acquise à cause d'un clitoris.

Clémentine sursauta pour la deuxième fois. La pluie continuait à perler.

— Et comment ça ?
— C'est très simple, dit le médecin à son ami, j'ai inventé un produit qui une fois enduit donne à tout clitoris le goût de mandarine. Et toi, s'enquit-il à son tour, tu parais bien plus riche que moi. Oh ! moi rien, répliqua l'autre. J'ai trouvé un produit qui une fois étalé donne à toute clémentine le goût d'un...

La fille s'arrêta.

— Tu as compris ?
— Non, répondit ingénument Clémentine.

— Mais si! poursuivit-elle en riant de plus belle. Il donna à toute clémentine le goût du tu sais quoi, pardi!

Cette fois-ci, ce furent les rubans tressés sous la cape qui sursautèrent. Entre deux larmes du ciel.

Clémentine cligna des cils. Il y avait de l'eau sale qui coulait dans le caniveau. Son oiseau des îles allait peut-être s'enrhumer.

— C'est drôle non?
— Très.

Elles s'embrassèrent et se promirent de se revoir bientôt. Le sourire béat monta dans le 82 qui venait d'arriver.

Clémentine et sa caille des tropiques se firent éclabousser. Elles laissèrent filer la fille et se dirent que leur fortune se tenait en ces quelques mots.

Bientôt…

20

À la fin de l'été, Clémentine abandonna les loups, la Foire du Trône et les cabines sombres de Pigalle. Elle renonça à la clandestinité.

Elle s'établit *experte en clitomotricité*.

Avouez, il fallait y penser.

Elle accrocha une plaque en cuivre doré sur la porte d'entrée. En haut et en bas des escaliers. Elle fit éditer des cartes de visite en bristol blanc cassé. Choisit soigneusement les caractères. La mise en page et l'épaisseur des traits. Elle mit un soin infini à meubler son cabinet. Elle le voulait simple, discret et feutré. Avec un soupçon d'extravagance. Pour mieux entendre et étouffer les secrets. Tout en promettant l'espérance.

Elle china Porte de Vanves, la douceur de septembre dans le cou, un lustre aux mille feux qu'elle confia pour le réparer à un artisan boulevard des Maraîchers. Dénicha un canapé en cuir damassé dans une brocante boulevard Raspail. Des rideaux velours grenat et une moquette crème. Des lampes de chevet aux pieds ciselés.

Un parfum de bonne bourgeoisie avec un brin de fantaisie.

Clémentine s'agitait ravie. Elle changeait enfin de vie.

Son idée paraissait simple. Elle et son organe allaient conseiller la clientèle huppée du VIIe. Clémentine s'était installée rue de Varenne. Elle avait emprunté auprès de son banquier de quoi financer un prêt de fin d'études sous prétexte de se spécialiser en chirurgie esthétique. Elle investit tout dans le loyer et sa décoration raffinée.

Clémentine était sûre de son succès.

Elle ne cacherait plus son aubergine, elle n'exhiberait pas sa courgette, elle parlerait. Elle écouterait et elle parlerait.

Elle écouterait la souffrance des blondes, des brunes, des cheveux courts coupés au carré, de ceux taillés en brosse, des rousses bouclées, et des frisées aux cheveux desséchés. Clémentine écouterait leur détresse, leur effroi, leurs doutes, leurs hésitations.

Et elle leur enseignerait.

À reconnaître la tentation. À l'accepter. À l'amadouer. À l'inscrire dans leur être.

Elle leur apprendrait la camomille, le thé, la verveine, et la menthe sucrée. Leur parlerait de l'ange entre leurs cuisses. Leur dirait de donner à leur féminité une place bien méritée.

Les femmes au début croisaient les genoux timides. Elles venaient confier leur chagrin. Elles ne pensaient pas changer leur destin. Clémentine les rassurait elles et leurs *choses.* Elles avaient là, la clé de leur liberté, c'était certain.

Les unes écarquillaient leurs paupières trop maquillées. Personne ne leur avait jamais parlé ainsi. Elles venaient tristes et ensommeillées. Elles repartaient alertes et ravivées. Bien décidées à appliquer les recettes de l'experte. D'autres riaient de se sentir enfin comprises et posaient toutes sortes de questions. Combien de temps l'infusion ? Le sucre en poudre ou en morceaux ? Exigeaient des précisions. Le bain, seule ou accompagnée ?

Il y en avait pour prendre des notes sur de petits calepins ou même des bouts de papier.

Clémentine s'enhardit. Concocta des potions, des crèmes et des lotions. Bientôt le tout

Paris se pressa chez la jeune femme, personne ne voulait manquer sa consultation.

Clémentine gagnait en une journée le salaire d'un P-DG.

Si on le lui réclamait, Clémentine enseignait les caresses, les finesses, l'avant, l'après. Conseillait la musique. Pour les unes classique, pour les autres, pop, électro, techno, soul ou romantique.

Elle poussa son art très loin. Alla jusqu'à dicter l'intimité de ses clientes. De l'épaisseur de la moquette, à la couleur de la salle de bains. Il fallait, assurait Clémentine, une ambiance parfaite pour honorer leur clitoris et lui rendre hommage.

Clémentine inventa des régimes, à bases de bananes et d'abricots séchés qu'elle vendait en petits sachets. Elle édita des manuels, créa des DVD. Enregistra des cassettes et passa à la télé.

Les hommes intrigués par tant de succès demandèrent à leur tour de pouvoir profiter de l'expertise. Afin de contrôler les élans soudains de leurs femmes qu'ils connaissaient autrefois soumises.

Clémentine hésita. Craignait les voyeurs, les obscènes, les pervers. Ceux qui ne viendraient que par curiosité ou pour se moquer.

Elle leur fit d'abord remplir un questionnaire. En triple exemplaire. De quoi décourager les moins sincères. Sondait leur connaissance sur la question. S'aperçut de l'étendue de leur ignorance. Se dit qu'elle avait tout à gagner à parfaire leur éducation.

Elle acheta des gants en plastic doux. Pas des vulgaires gants de cuisines rose, ni des gants blancs vitreux de chirurgien. Non. Des gants très fins. Exécutés sur mesure dans du polyester très résistant. Elle choisit les couleurs. Jaune citron et rouge vif.

Elle demandait aux clients de les enfiler et puis guidaient leurs mains. Effarés par l'énormité de la *chose*, certains retenaient leur souffle. Découvrir en plein jour, avec tant de précision et de facilité ce qu'ils cherchaient à tâtons et parfois sans succès, ils n'en espéraient pas tant... D'autres protestaient. L'exercice pratique ne servait à rien ; leurs femmes n'étaient pas aussi bien. Il y en avait pour rire et se moquer. Ceux-là Clémentine les renvoyait aussitôt après leur avoir facturé double tarif. Sans hésiter.

Elle leur conseillait l'attention aux moindres recoins. De prendre le temps. De ne pas se presser. D'écouter. De rester vigilant.

Le matin, elle écoutait le désir des femmes. Le soir, elle disait aux hommes comment trouver le chemin de leur âme.

Clémentine fit merveille. De toute la France, on accourut. Son carnet de rendez-vous regorgeait de demandes en attente. On se plaignait des délais. On s'empoignait. On inventait des histoires pour éviter les deux mois réglementaires.

Clémentine avait engagé une secrétaire. Une jolie rousse aux yeux verts. Mini-jupe et col roulé. Elle savait comment jongler avec les horaires.

Clémentine écrivit des livres. Donna des conférences. Au Lutétia, au Bristol et à Sciences Po Paris. Inventa des produits dérivés. Raclait son aubergine avec une spatule en bois et concoctait des pilules à avaler trois fois par semaine. Roses et dorées. Le goût était divin. L'effet certain. Les femmes arrivaient les traits tirés, elles repartaient enchantées.

Les hommes souriaient de voir leurs femmes heureuses.

Clémentine gagnait beaucoup, beaucoup d'euros. En chèque, en carte bleue, et en comptant.

Certaines lui suggérèrent de sauter le pas et de s'initier à la chirurgie esthétique.

Clémentine refusa.

On le lui reprocha. Elle, assurément, était très bien pourvue. Mais les autres ! Elles avaient le droit d'espérer un clitoris un plus gros, un peu plus long !

Clémentine insistait. Il fallait respecter le don de Dieu. La nature. Au choix. Ne pas tenter le diable. Des clientes s'exaspérèrent. Elles avaient lu qu'au Brésil…

Clémentine redoublait d'attention, leur assurait que peu importaient les dimensions, seules comptaient l'affection et la concentration.

Elles refusaient d'entendre, partirent tenter leur chance ailleurs. Créant par leur absence la concurrence.

Clémentine penchait pour la méthode douce. Tout en exploration. Elle avait refusé jadis le bistouri. Comment aurait-elle pu le conseiller aujourd'hui ?

Elle sortait des consultations épuisée. Donnait sans compter. Certains et certaines lui vouaient une reconnaissance éternelle, voyaient en elle un être exceptionnel, d'autres prétendaient que ses pouvoirs demeuraient limités.

Clémentine avait la faiblesse de croire à son utilité… Elle repoussait, chaque jour, la date de son départ vers toutes ces contrées dont elle avait tant rêvé.

Une nuit pourtant, un songe étrange vint la hanter. Devant son cabinet, gesticulait une queue de femmes qui brandissaient des pancartes rouges. Qui criaient à tue tête : « Vanité, tout est vanité. Clémentine, tu nous as bernées. Ton heure a sonné. »

Clémentine se réveilla en nage. Peut-être après tout avait-elle exagéré à vouloir rendre toutes les femmes heureuses et les hommes aussi. Il aurait fallu trier.

Elle douta. *Experte en clitomotricité.* Juste parce qu'entre ses cuisses, avait poussé un bout plus grand que les autres. Se jugea avec méfiance. Condamna son outrecuidance.

Rongée par la culpabilité.

Comment pouvait-elle conseiller, elle qui n'avait jamais vraiment couché ?

Clémentine se mordit l'intérieur de la

joue. Sortit de son tiroir ses relevés bancaires. Elle avait économisé bien plus que pour un aller-retour pour Buenos Aires.

Elle vendit tout. Le cabinet, les gants, les loups, les plaques à l'entrée.

Elle prit un billet tour du monde. Open. Réserva les plus grands Palaces, avec piscine, sauna, shiatsu, spa, et sa *chose* enrubannée sous le bras, s'en alla.

21

Moteur, action! lui disait sa *chose*. Et Clémentine se mettait à suivre une direction. Sans plan. Sans organisation. Elle se laissait porter par l'odeur de la mer et le bleu du ciel. Choisissait au hasard sa destination.

— Couloir ou fenêtre?
— Fenêtre.

Première étape. Singapour.

Chaleur humide et yeux bridés. Voiles

safran et épaules dénudées d'Indiennes colorées. Le patio du Raffles. La piscine sur la terrasse du Four Seasons. Les palmiers du Shangri la. Les Dim Sum au Tagashimaya.

Clémentine marchait sur Orchard Road et souriait aux Chinoises pressées. Elle s'arrêtait pour acheter des orchidées.

Et puis vinrent Chiangmai, Phuket, Phi Phi Island, avant la Birmanie, la Malaisie, l'Indonésie et l'Aman tout près de Java.

Clémentine humait la chaleur, les odeurs, son clitoris en alerte. Lui susurrant tendrement de profiter du temps qui passe.

Elle partit pour Sydney, les Montagnes bleues, la brume et l'ondoiement de l'eau. Sa *chose* frissonnait au vent.

Clémentine parcourut les mers, sillonna les terres et les cieux, son lys des îles toujours en avant.

Elle avait l'impression d'être morte, d'avoir tout oublié. Et d'avoir ressuscité. Pour

une vie meilleure. De miel et veloutée. Entiè-
rement sucrée.

Clémentine dépensait sans compter. Achetait tout ce qu'elle désirait acheter. Sans limite.
Elle voulait voir jusqu'où elle pourrait aller.
Des rubis de Birmanie, des saphirs du Cache-
mire, des diamants roses, des diamants bleus,
des émeraudes en Colombie, une propriété au
bord du Pacifique à Santa Monica, un champ
de lotus à Ubud, un yacht pour visiter les îles
Lipari, un haras au Mexique, des plantations
de bananiers en Malaisie, des vergers d'orchidées un peu partout en Asie.

Côté sensations fortes, elle but du saké,
des liqueurs brunâtres. Qui brûlaient le gosier.
Refusa de fumer.

Elle connut des hommes. Des bruns. Des
dorés. Des grands. Des petits. Des maigres et
des musclés. Des tatoués. Longs triceps, biceps
gonflés. Elle les laissa la toucher. La caresser.
Mains calleuses, légères, impudiques et auda-
cieuses. Se laissait aller à leurs différentes façons
de la prendre. Elle ne notait rien. Oubliant

son souci d'efficacité. Essayant d'enfouir jusqu'au souvenir de son expertise passée.

Elle connut des senteurs nouvelles. Du jasmin. La fleur d'oranger. Le durian. Le curry. La coriandre et la fleur de pêcher. À la sueur mêlées.

Elle connut des femmes. Des douces et des moins douces. Elles n'avaient pas la même façon de l'approcher.

Son aubergine se portait à merveille. Elle ne s'était jamais aussi bien portée. Elle prit une rondeur charmante, un teint rose et frais.

Clémentine avançait, mue par une force invisible qui la poussait toujours plus loin. Elle franchissait les obstacles sans rechigner, des ponts de pierre, des passerelles recouvertes de lierre, des lianes dans les forêts, des monts escarpés, des pentes glacées. Sans trop penser. Se fiait à ses sensations. Elles savaient lui dire la direction.

En Chine, elle rencontra des Chinois et en Suède des Suédois. Au Danemark des Danois, en Finlande des Finlandais. En Malaisie, des Malais et des Indiens de Pondichéry.

Qu'il fasse chaud, tiède ou froid, elle offrait sa *chose* avec grâce et tentait toutes sortes de situations. Se laissait séduire par les propositions les plus cocasses.

Clémentine voulait tout essayer. Tout apprendre. Tout comprendre. Tout sentir. Tout renifler. Tout toucher. Tout lécher. Tout connaître.

Les mains poilues. Les ongles courts et ceux manucurés, les langues râpeuses, les palais onctueux. L'ombre, la lumière. Le soleil de minuit. La muraille de Chine et les croisières en Norvège la nuit.

Clémentine s'ouvrait à la vie. Son clitoris aussi.

22

On invita Clémentine en Mauritanie. À l'île Maurice et en Turquie.

Elle loua des jets privés, traversa le désert à dos de chameau. Rencontra des bédouins et gravit à pied toutes les marches de la Statue de la liberté.

Son oiseau des îles lui donnait des ailes. Enfin déployées, elles lui offraient une vie nouvelle. Un parfum de liberté.

Clitomotrice

Le soir, en s'endormant, elle regardait avec tendresse sa masse dont elle faisait parfois des tresses et la bénissait. Elle retrouvait l'insouciance de sa petite enfance et rendait grâce au ciel pour cette allégresse.

La nuit, elle dormait comme un ange. Épuisée par ces pérégrinations et ce mouvement incessant mais l'âme heureuse de connaître enfin l'indépendance.

Tant de joie ne pouvait durer.

Les hommes la traitaient en reine. Clémentine se tortura et retrouva sa peine. L'ai-je bien mérité?

23

Les vieux démons revinrent. Un à un. Le soir, la nuit et puis même le matin.

Clémentine qui avait oublié père et mère recommençait à y penser. Comment pouvait-elle profiter sans avoir de nouvelles de leur santé? Comment ne pas partager? Ils seraient sûrement heureux de la savoir enfin libre?

Assumée.

Un après-midi, après l'orage, elle sirotait

un *Singapore sling* dans le patio intérieur du Raffles. L'orchestre jouait Brahms, dans la chaude et lourde humidité. Des Chinoises poudrées minaudaient avec des Anglais de passage. Elles grignotaient des *scones* à la confiture et à la crème fouettée et buvaient leur Earl Grey du bout des lèvres. Clémentine s'enfonçait dans une ouate molle et voyait défiler le crâne, les mains, le regard vide de son père, les assiettes en carton empilées sur les étagères de la droguerie, les couteaux, les fourchettes dans leur emballage plastifié, le sourire ambigu de sa mère, ses larmes amères, l'odeur âcre de la teinturerie, les tailleurs pied-de-poule, les couettes damassées et les oreillers, la fumée du café, les relents de frites et de cigarette, les taches de gras sur les nappes en papier.

Les cacatoès criaient dans les palmiers et Clémentine rêvait à sa vie métro Reuilly-Diderot. Avec mélancolie.

Assaillie par le doute, le remords et le regret, Clémentine fit, ce soir-là, un rêve qui scella sa destinée.

C'était en Tunisie, à Djerba, dans un

hôtel avec piscine et bungalows au bord de l'eau. Son père et sa mère reposaient allongés sur des chaises longues rouge en cuir tanné. Leurs corps brillaient au soleil. Ils semblaient jeunes et radieux. Insouciants. Riant, discutant, jouant avec les grains dorés. Enfin heureux. Clémentine crut même qu'ils se tenaient la main.

Soudain, deux hommes sortirent des flots. Cagoulés, en combinaison foncée. Le regard en pointe d'acier. Ils avançaient, les parents de Clémentine ne les voyaient pas. Ils portaient sous le bras deux mitraillettes.

Clémentine voulut crier, l'ambre doux l'en empêcha.

Les hommes étaient de plus en plus près, les parents ne remarquaient rien. Ils s'arrêtèrent soudain, armèrent leur engin. Clémentine ouvrit la bouche mais rien n'en sortit. Rien. Seul son clitoris frémit.

Ils visèrent. À bout portant. Les visages souriants des parents de Clémentine se découpaient sur le bleu du ciel, telles deux statues phéniciennes. Les hommes attendirent une fraction de seconde et puis tirèrent, de sang-froid.

Les deux corps tombèrent dans le sable chaud, mous et visqueux tout à la fois ; poisseux de leur sang qui se vidait peu à peu. Les hommes retrouvèrent l'onde sans se retourner.

Clémentine, son canari des îles blotti contre sa poitrine, se réveilla en pleurs. Seule dans sa chambre, elle entendait tourner le ventilateur.

Son père et sa mère se faisaient assassiner. Par des tirs nourris de mitraillette.

C'était un signe. Il fallait rentrer.

Elle s'arracha elle et sa *chose* aux douceurs exotiques, ne regretta pas le sourire des Philippins, ni celui des Sri Lankais, prit le premier vol de nuit et rentra à Paris.

Au petit matin, à Roissy, son clitoris bien emmitouflé autour de sa taille, l'hiver avait commencé, elle sauta dans un taxi et rejoignit la place de la Nation. Elle acheta des croissants

Clitomotrice

dans une boulangerie et sonna à la porte de
ceux qu'elle avait vus morts en rêve, la veille,
sous les bananiers.

Qu'allait-elle trouver ?

24

La mère et le père de Clémentine mangeaient des chips, affalés devant la télé. La mère avait le visage ridé, le père le crâne chauve et le dos courbé.

Ils ne l'embrassèrent pas. Lui demandèrent pourquoi elle n'avait pas écrit. Ni téléphoné toutes ces années. Clémentine tomba dans leurs bras, ils la débarrassèrent des croissants et lui proposèrent du café.

Son père qui avait contracté un cancer de

la prostate la fit asseoir sur le canapé. Lui tapota la main et s'enquit de sa santé. Sa mère lui lançait un regard mauvais, et voulut savoir si elle avait trouvé, malgré son truc qu'elle désignait avec une mine dégoûtée, si elle avait trouvé un fiancé. Clémentine ne releva pas l'insulte. Elle se laissait porter par la joie de les retrouver. Sans songer à se protéger.

Elle voulut partager son succès.

— Nous savons, nous t'avons vue à la télé.

Elle voulut leur raconter ses voyages aux mille coins du monde.

— Tu ne nous as rien rapporté ?

Leur livrer ses soucis. Ses joies. Ses peines. Ses doutes. Son rêve. Et son retour pré-cipité.

— Oh ! Il ne fallait pas te presser !

Quand vint l'heure de se coucher, les parents dirent qu'ils étaient très fatigués. Ne la retinrent pas et la poussèrent vers la porte.

Clitomotrice

— Demain, si tu veux, tu pourras nous raconter la suite. Après dix heures. Téléachat sera terminé.

Clémentine les regarda dans les yeux et sans un mot de plus prit la fuite.

25

Clémentine marcha jusqu'au quai d'Austerlitz.

Elle pressa son clitoris contre son cœur. Elle inspira profondément. L'air était plus pollué qu'au bord du Pacifique, moins pur que sur les rives de l'Antarctique, mais il y avait une légèreté, une incroyable légèreté. Comme un avant-goût d'été. Une aria soprano colorato caché sous le contralto de l'hiver parisien.

Clémentine ferma les paupières. L'air

s'engouffra. Pour la première fois, elle se sentit respirer. L'ange devait se tenir prêt.

Elle crut entendre :

— Saute.

Que fallait-il comprendre ? Rejoindre les eaux brunâtres qui semblaient l'appeler ? Renoncer à ses folles équipées et finir cette vie absurde et agitée ? Jeter là sa caille, son canari, sa flûte, son ambre, son abricotier ?

Elle sauta.

Sur un pied, puis sur l'autre, comme si elle jouait à la marelle.

La voix restait près d'elle.

— Cours et ne t'arrête pas.

Clémentine courut, courut, sans se retourner.

— Hurle et ne le regrette pas.

Clitomotrice

Clémentine hurla. Du plus profond de ses poumons. Un pigeon s'envola et quelqu'un lui prit le bras. Quelqu'un qu'elle ne connaissait pas. Elle eut peur, d'abord. Tenta de se dégager. Mais il la tenait fermement. Et lui murmura très bas :

— Pourquoi ?

26

Hadrien avait trente ans. Ses yeux étaient bruns. Ce que Clémentine aimait surtout, c'étaient ses mains.

Les mains d'Hadrien.

Fines. Fermes. Pas grandes. Mais sûres. Puissantes et tendres. Des mains qui savaient la prendre.

Elle ne s'était pas dégagée. Ils avaient marché toute la nuit. Bras dessus, bras dessous.

Ils avaient ri. Il avait effleuré son cou.

Ils avaient parlé. Beaucoup.

Et ils s'étaient revus. Le lendemain. Et le surlendemain. Et le lendemain du surlendemain.

Il enseignait le droit et la philosophie. Il parlait bien. Clémentine regardait ses lèvres ourlées et réprimait avec peine un pincement au creux de son ventre.

Il lui offrait des livres. *Belle du seigneur.* Ovide. Kierkegaard et Alain. Ils discutaient parfois jusqu'à quatre heures du matin. Se cachaient sous les tables de la bibliothèque Sainte-Geneviève, après la fermeture, et sous l'œil goguenard de Descartes, Virgile, Saussure et Lacan, Hadrien caressait Clémentine et Clémentine riait.

Sand approuvait.

Il la couvrit de fleurs. Des roses, des tulipes et des œillets du roi. Il semblait à Clémentine qu'elle découvrait un homme pour la première fois.

Il était doux, Hadrien. Il caressait bien. Comme on joue du violon. Avec brio et précision. Elle fondait, Clémentine, sous la pointe de ses doigts. Hadrien l'emmenait loin. Sans poser de questions.

Il était drôle Hadrien. Quand il vit son clitoris, il ne s'émut pas plus que ça. Il se mit à jouer. Et Clémentine chanta.

La légèreté de l'air, voilà ce qu'aimait Clémentine, la légèreté de l'air. Elle répéta. Air. Légèreté. Air. Légèreté.

Elle aurait tout donné pour cette légèreté.

27

Il ne l'emmena pas à Tombouctou ni à
Tahiti. Ne lui offrit pas de rubis chez Tiffany.
Ils ne coururent pas autour du réservoir à
Manhattan. Ne réservèrent pas de suite sur
Madison Avenue ni au Banyan tree de Bintan.
Il ne survolèrent pas Miami en hélicoptère et
n'allèrent pas skier dans le Colorado. Ils ne
convolèrent pas vers Shanghai et boudèrent
Tokyo et Manille. Ils ne mangèrent pas d'aile-
rons de requins à Pékin ni de poulet au curry à
Pondichéry.

Ils ne traversèrent pas le Pacifique à la rame.

Il ne loua pas de suite au Ritz, ne l'invita pas à danser chez Régine, à dîner chez Castel ou Lucas Carton. Il ne réserva pas de vols Paris-Hong Kong pour dénicher les canards laqués les plus sucrés, ils ne partirent pas en croisière autour du globe, il ne lui parla ni d'Honolulu, ni de Bora-Bora, encore moins des Aman à Bali. Il ne lui promit pas la lune, ni or ni en chiffon.

Ils marchèrent le long des quais, main dans la main, le sourcil au vent, achetaient des nems dans des restaurants vietnamiens. Ils grignotaient des cornichons sur les bancs publics, et couraient le long du lac du parc Montsouris. Ils dévorèrent des crêpes – sucre et chocolat – tout en flânant dans le jardin du Luxembourg et devant les parterres de marguerites, de sans-souci et de lilas, se récitaient Nerval, Baudelaire et Rimbaud. Clémentine composait des chansons mêlant hydrogène et protozoaires, Hadrien inventait des couplets commençant par Rousseau et Voltaire, s'achevant par Hegel et Diderot.

Il lui baisait la nuque en souriant et sur le piano de son studio rue Racine, il rendait hommage à son abricotier des îles. Sur un air de valse de Chopin. Il jouait pour elle, rien que pour elle, Bach, Liszt, Mozart, Bartok et Satie. Surtout Satie.

Clémentine se savait soudain belle. Presque jolie.

Il lui racontait ses cours à l'Université. Elle écoutait fascinée. Il la caressait avec tendresse. Elle se laissait pénétrer dans l'ivresse.

Il y avait le monde, et cet homme en elle, Clémentine découvrait la vie. Il buvait l'or de ses cuisses, effleurait son ventre rond et jouait de son clitoris comme d'un diapason.

Clémentine oubliait les chiffres, les comptes, les additions. Elle se tenait là, près de lui, les souvenirs de ses voyages fous dans la tête, Chiangmai ; Hanoi et New Delhi…Et respirait le regard de la vie.

Ils gravirent des glaciers, des Alpes aux

Pyrénées ; dormirent dans les champs, en Bourgogne, en Anjou et dans le Midi, nagèrent dans les criques entre Bandol et Cassis, la tête dans le ciel renversée ; il la prit sur la pierre, au milieu des coquelicots et de la paille, au milieu des flots. Il la prit sur la roche à Fontainebleau, la chaleur collée aux joues, des brindilles dans le cou, le soleil dans les yeux, humides de désir et de plaisir partagés.

Elle existait Clémentine. Elle existait et sanglotait, sans savoir pourquoi. Elle sentait ses pieds, ses mollets, ses hanches, sa poitrine et la pointe de ses bras. Découvrait un corps qu'elle ne soupçonnait pas. L'air glissait sur sa peau. En une farandole exquise.

Ils applaudirent ensemble *Twin Peaks* et *Mullholland drive*, les dernières créations de Bob Wilson à l'Odéon, *Turandot* à la Bastille, Lunganski et Anne Sophie Mutter au Théâtre des Champs-Élysées.

Ils parlaient, parlaient jusqu'à l'aube. Se perdaient dans le bleu de la nuit. Singer, Woody Allen, Jung et Zulavsky.

Clitomotrice

Et la caille farcie ?

Elle écoutait ravie, s'imbibait du moindre soupir, du moindre récit, éprise de tant de confiante sérénité.
Elle aurait pu s'ennuyer. Se sentir délaissée. Elle s'épanouissait au contraire, se réjouissait d'une telle complicité. Et puis, quand Hadrien s'inventait musicien, le tempo devenait divin.

Hadrien aimait Clémentine et Clémentine aimait Hadrien.

Ils étaient bien.

28

Elle appela un matin. Sa mère. Une voix terne. Pas blanche. Grise. Elle lui demandait de venir. Le plus vite possible.

— Ton père... il a eu une attaque. On ne sait pas trop. Il ne peut plus parler.

Clémentine laissa Hadrien et ses tendresses musicales et rejoignit Reuilly-Diderot. En métro.

Sa mère lui ouvrit la porte en reniflant. Sa robe de chambre était mitée.

— Il est dans le salon. Il ne quitte pas le canapé.

Le père de Clémentine avait le visage figé. Une paupière battait de l'aile. À peine. Clémentine s'approcha. Sa lèvre inférieure sourit. La paupière lui fit signe de s'asseoir près de lui.

Clémentine s'assit.

Ils restèrent ainsi sans rien dire une heure, deux vraisemblablement. Clémentine n'osait pas bouger. Ils ne parlaient pas. Dans ce silence, il regrettait peut-être, elle n'accusait pas.

Il pesait lourd ce silence.

La mère passait derrière eux à petits pas ; les dépassait en soupirant, sortait de la pièce et revenait pour vérifier qu'ils étaient toujours vivants. Cliniquement vivants.

Bientôt, le jour s'essouffla. Des morceaux de ciel pourpre s'effilochaient derrière les voilages. Une ombre de lune. Presque.

Clémentine aurait voulu partir. Mais la paupière la retenait. Elle crut l'entendre. L'appeler. Dans un murmure. Elle s'approcha. Il avait une haleine fiévreuse. Il hoqueta, les yeux soudain globuleux. Elle recula. La paupière lui demanda de venir plus près. Les doigts du père se soulevèrent à peine. Clémentine se pencha vers eux. Et là très nettement elle entendit sa voix rauque.

— Marie-toi, marie-toi avec lui.

Clémentine sursauta.

Qui lui avait dit ? Qui lui avait parlé d'Hadrien ? Qui l'avait suivie ? Elle fut prise d'une peur panique. Elle vit la paupière s'éclairer.

— Je ne sais rien. Mais ne reste pas seule avec elle. Surtout pas.

La paupière et l'œil pointaient la mère. Clémentine fit oui. Embrassa son père sur le front et le cœur tremblant partit.

29

À l'enterrement, il y eut beaucoup de monde. Des voisins. Des amis de Clémentine. De vieilles connaissances. Des cousins. Des tantes et des oncles. Toute une famille que Clémentine ne soupçonnait pas.

Il plut. On rentra vite chez soi.

La mère de Clémentine lui demanda de venir habiter chez elle. Clémentine revit l'œil et la paupière et refusa poliment. Elle se débrouillerait bien sans elle. Clémentine lui téléphonerait de temps en temps et prendrait de ses nouvelles.

C'est drôle, songea Clémentine, cette fois-ci elle a oublié de demander comment *ma chose* va. Le chagrin, probablement.

Clémentine remonta l'avenue jusqu'à la Porte d'Orléans. Longea Montparnasse par derrière, dévala le boulevard Pasteur. Tourna à Sèvres-Lecourbe et franchit la Seine, après les Invalides. Elle remonta jusqu'au Trocadéro, laissant derrière elle, l'Alma et place d'Iéna.

Elle se sentit libre, vraiment libre, profondément libre.

Mon père est mort ce matin, fredonnait-elle, presque. *Mon père est mort ce matin et je ne lui dois rien.*

30

Clémentine marchait sur le Champ-de-Mars. Elle avait traversé la Seine une nouvelle fois. Le manège du Trocadéro dans le dos. Le rose du ciel dans la pierre de l'École Militaire.

Clémentine marchait.

Le vent dans le creux entre ses cuisses. Il y avait un creux entre ses cuisses. Un creux doux et le vent s'y engouffrait. Clémentine sourit. Elle n'avait jamais senti ce creux. Elle n'y avait même jamais pensé, tout occupée avec son aubergine fleurie et son abricot au coulis.

Elle dépassa l'arrêt du 69 et du 87. Eut juste le temps d'apercevoir l'avenue de Suffren. Un labrador reniflait un caniche blanc. Le rose se fit encore plus intense. Un paralytique assis sur sa chaise courait sur le sable lent.

Le Champ-de-Mars scintillait dans le soleil couchant.

Clémentine crut voir son oiseau des îles s'envoler. Comme dans un rêve. Elle sourit à nouveau. De tout son corps. De toute son âme. Hocha la tête : « Un clitoris, ça ne part pas comme ça. »

Un enfant aux cheveux blonds vint lui tirer la jupe.

— Tu as vu mon ballon ?
— Non, répondit Clémentine en poussant dans la balle qui avait roulé à ses pieds.

Elle pensa à Hadrien. Elle ouvrit son sac, sortit son portable. La ligne sonnait occupée.

Clitomotrice

La pierre était violette. L'air léger. Le creux immense.

Elle se sentit vivre.

Enfin.

*Ce volume a été composé
par Interligne
et achevé d'imprimer en juin 2005
par **Bussière Camedan Imprimeries**
à Saint-Amand-Montrond (Cher)
pour le compte des éditions Lattès*

Nº d'édition : 67238/01 – Nº d'impression :
Dépôt légal : juin 2005
Imprimé en France

Imprimé en France
FROC031343220519
21199FR00019B/259/P

9 782709 627566